Cyhoeddwyd gan Gymdeithas Lyfrau Ceredigion Gyf., Ystafell B5, Y Coleg Diwinyddol Unedig,
Stryd y Brenin, Aberystwyth, Ceredigion SY23 2LT
Argraffiad Cymraeg cyntaf: Ebrill 2003

Addasiad: Gwen Angharad Jones a Dylan Williams

ISBN 1-902416-86-4

Cyhoeddwyd gyntaf yn 2003 gan Andersen Press Ltd., 20 Vauxhall Bridge Road, London SW1V 2SA.
Teitl gwreiddiol: *Tadpole's Promise*

Gwahanwyd y lliwiau yn yr Eidal gan Fotoriproduzioni Beverari, Verona.
Argraffwyd a rhwymwyd yn yr Eidal gan Grafiche AZ, Verona
Argraffwyd y llyfr ar bapur di-asid

Addewid y Penbwl

Jeanne Willis

Tony Ross

Cymdeithas Lyfrau Ceredigion

Yn y fan lle mae dail yr helyg yn
cyffwrdd y dŵr, fe gyfarfu penbwl â
siani flewog.
Fe edrychon nhw i fyw llygaid ei gilydd . . .

. . . a syrthio mewn cariad.
Hi oedd ei enfys brydferth,

ac ef oedd ei pherl du, disglair.
'Rydw i'n caru popeth amdanat ti,'
meddai'r penbwl.

'Rydw innau'n caru popeth amdanat ti,' atebodd y siani flewog. 'Rho dy air imi na wnei di fyth newid.'

'Rydw i'n addo,' meddai'r penbwl.

Ond, cyn sicred â bod y tywydd yn newid,
ni allai'r penbwl gadw'i addewid.
Erbyn y tro nesaf iddyn nhw gyfarfod
roedd wedi tyfu dwy goes.
'Rwyt ti wedi torri dy addewid,'
meddai'r siani flewog.

'Maddau i mi,' plediodd y penbwl. 'Doedd gen i mo'r help.
Does arna i ddim isio'r coesau 'ma . . .

Y cyfan sydd arna i ei isio yw fy enfys brydferth.'

'A'r cyfan sydd arna i ei isio yw fy mherl du, disglair,' atebodd y siani flewog. 'Rho dy air imi na wnei di fyth newid eto.'

'Rydw i'n addo,' atebodd
y penbwl.

Ond, cyn sicred â bod y
tymhorau'n newid, erbyn y tro
nesaf iddyn nhw gyfarfod –
roedd wedi tyfu breichiau.

'Dyna'r ail dro i ti dorri dy addewid,'
llefodd y siani flewog.

'Maddau i mi,' plediodd y penbwl. 'Doedd gen i mo'r help. Does arna i ddim isio'r breichiau 'ma . . .

Y cyfan sydd arna i ei isio yw fy enfys brydferth.'

'A'r cyfan sydd arna i ei isio yw fy mherl du, disglair,' atebodd y siani flewog. 'Mi gei di *un* cynnig arall.'

Ond, cyn sicred â bod y byd yn newid,
ni allai'r penbwl gadw ei addewid.
Erbyn y tro nesaf iddyn nhw gyfarfod –
doedd ganddo ddim cynffon.

'Dyna ti wedi torri dy addewid dair gwaith,'
meddai'r siani flewog. 'Ac wedi torri fy
nghalon i hefyd.'

'Ond ti yw fy enfys brydferth,'
crefodd y penbwl.

'Hwyrach, wir,' atebodd y siani flewog, 'ond nid fy mherl du, disglair wyt ti bellach. Ffarwél.'

Cripiodd i fyny cangen yr helygen
    a chrio a chrio nes iddi syrthio i gysgu.

Yna, un noson gynnes, braf
a'r lleuad yn olau,
fe ddeffrodd.
Roedd yr awyr wedi newid.
Roedd y coed wedi newid.
Roedd popeth wedi newid . . .

. . . popeth heblaw am ei chariad
tuag at y penbwl.

    Er ei fod wedi torri ei addewid,
penderfynodd faddau iddo.

Sychodd ei hadenydd
a fflit-fflitian tua'r dŵr i chwilio amdano.

Yn y fan lle mae dail yr helyg yn cyffwrdd y dŵr, roedd llyffant yn eistedd ar lili.

'Esgusodwch fi,' meddai wrtho.
'A welsoch chi . . .?'

Ond cyn iddi allu dweud 'fy mherl du, disglair', llamodd y llyffant i'r awyr a'i llyncu,

mewn un gegaid farus.

Ac yno y mae'n aros . . .

. . . yn breuddwydio am ei enfys brydferth . . .

. . . ac yn meddwl tybed i ble'r aeth hi.

Y DIWEDD